여기는 키즈 카페예요.

바닥에 피아노가 있어요.

도 레 미 소리가 나요.

파 솔 라 소리가 나요.

무슨 소리가 날까요?

이 책은 _____ 의 것입니다.

피아노

ⓒ 김미혜, 차선희, 2025

2025년 11월 3일 처음 펴냄

**글쓴이** 김미혜 | **그린이** 차선희 | **편집** 이진주 | **디자인** 더디앤씨 | **인쇄** 보명C&I | **제작** 세종PNP
**펴낸이** 김기언 | **펴낸곳** 교육공동체 벗 | **이사장** 오정오 | **사무국** 최승훈, 설원민, 공현
**출판등록** 제2011-000022호(2011년 1월 14일) | **주소** (03998) 서울시 마포구 월드컵북로7길 76-12 102호
**전화** 02-332-0712 | **전송** 0505-115-0712 | **홈페이지** communebut.com

ISBN 978-89-205-8 67700
ISBN 978-89-195-2(세트)

| 피아노 | BFL | 1 |
|---|---|---|
| | 어절 수 | 19 |

값 2,300원

ISBN 978-89-6880-205-8
ISBN 978-89-6880-195-2 (세트)

사용 연령 6세 이상